Clár

Caibidil 1
Aisling Rónáin

Bhí Rónán Breathnach amuigh ag rothaíocht maidin Domhnaigh amháin, nuair a chonaic sé foireann sacair ag teacht amach ar an bpáirc peile. Chuir sé an-spéis inti. Ba bhreá leis bheith ar fhoireann cheart sacair, agus bhí go leor foirne feicthe aige. Bhí a fhios aige láithreach gurb í seo an fhoireann a bhí uaidh.

Cé go raibh na buachaillí seo ar aon aois le Rónán féin, bhí cuma orthu agus iad ag déanamh ar an bpáirc go raibh siad sa **phríomhroinn***. Bhí feisteas dubh agus glas breá faiseanta orthu. Bhí a uimhir agus a ainm féin ag gach aon imreoir ar a léine. Bhí cóitseálaí ceart acu freisin – fear mór glórach i gculaith spóirt agus aghaidh dhearg air. Bhí sé ag cur orthu neart réamhaclaíochta a dhéanamh – amhail is dá mb'fhoireann phroifisiúnta iad.

Bhí cúpla Daid ina seasamh ar an taobhlíne ag tabhairt tacaíochta dóibh. Bhí cúpla Mam ann freisin, agus deartháir nó deirfiúr óg nó dhó. Bhí fear níos aosta ann agus **fáisc-chlár**** aige. Leag Rónán síos a rothar taobh le crann, agus chuaigh sé a fhad leis an bhfear le ceist a chur air cérbh iad an fhoireann.

"Cumann Sacair Chois Cuain," a dúirt an fear. "Tá siad ag imirt in aghaidh Chnoc na Coille. Níl ann ach cluiche cairdeachais, ach tá súil agam go mbeidh sé go maith..."

---

* an sraithchomórtas is airde i sacar proifisiúnta Shasana
** clár a bhfuil fáiscín ar sprionga ar a bharr, chun bileoga a choinneáil le chéile agus chun scríobh air

Ní raibh sé go maith. Bhí sé lag agus leadránach, ach ba chuma le Rónán. Bhí tuilleadh ceisteanna le cur aige. Bhí Fear an Fháisc-chláir, mar a thug Rónán air, lán le heolas, agus faoi dheireadh an chluiche bhí gach aon eolas faighte ag Rónán faoina fhoireann. Nó faoin bhfoireann ar mhaith leis a bheith ag imirt uirthi.

Fuair sé amach go raibh Cumann Sacair Chois Cuain ag imirt i sraithchomórtas nua. Ba é Fear an Fháisc-chláir rúnaí an chlub. Fear gnó darb ainm Micheál Seoighe ab ea an cóitseálaí a raibh aghaidh dhearg air. Bhí a mhac, Cillian, ina chaptaen foirne.

Chomh luath agus a bhí an cluiche thart, tharraing Rónán anáil mhór fhada, rug sé ar a rothar agus d'imigh sé leis, le labhairt le himreoirí Chois Cuain.

"Bhí tú iontach, a Chilliain!" a dúirt duine amháin. *Tá sin aisteach*, a shíl Rónán. Ní raibh sé chomh hiontach *sin*.

"Haigh," a dúirt Rónán go cúthaileach. Tháinig ciúnas ar an bhfoireann agus gach duine acu ag stánadh air. "Bhí mé ag iarraidh a fháil amach... an **dtiocfadh liom*** imirt libh?"

"Cén scoil a bhfuil tú ag freastal uirthi?" a d'fhiafraigh Cillian. Thóg sé céim chun tosaigh.

"Baile Liam," a dúirt Rónán go híseal.

"Baile Liam an ea?" arsa Cillian. D'fhéach sé ar sheanrothar meirgeach Rónáin agus ar a bhróga reatha gioblacha. "Sílim go bhfuil ár ndóthain imreoirí againn mar atá, nach bhfuil a bhuachaillí?"

Chuala Rónán duine éigin ag scigmhagadh, agus **baineadh lasadh**** as.

D'imigh sé leis in ísle brí, ag siúl leis thar Mhicheál Seoighe agus Fear an Fháisc-chláir a bhí ag argóint. Bhí cluiche ag Cois Cuain an Domhnach dar gcionn ach

---

*   an dtiocfadh liom – an bhféadfainn
**   lasadh a bhaint as duine – nuair a thagann dath dearg ar leicne dhuine mar go bhfuil siad náirithe

5

bhí an fhoireann eile tar éis tarraingt siar ón gcluiche. Bhí foireann nua ag teastáil ó Mhicheál Seoighe agus ní raibh teacht ag Fear an Fháisc-chláir ar cheann ar bith.

Caibidil 2

Smaoineamh Iontach?

Léim Rónán ar a rothar agus as go brách leis amach as an bpáirc. Ghlasáil sé é féin isteach ina sheomra leapa. *Níl sé cóir,* a smaoinigh sé. Bhí Cillian Seoighe ardnósach agus saibhir, ach d'fhéadfadh sé seans a thabhairt do Rónán... Rith na smaointe seo leis ar feadh tamaill fhada agus é thuas staighre ina sheomra leapa. Bhí sé fós ag smaoineamh faoin scéal ag am lóin. Agus fiú amháin tar éis an lóin agus é sa seomra suí lena thuismitheoirí. Níor thug

a thuismitheoirí faoi deara go raibh drochghiúmar air. Bhí siad ag argóint an oiread sin.

"Bíonn muid i gcónaí ag féachaint ar do roghasa cláir ar an teilifís. Tá mé bréan de," arsa Mamaí. "Fir amaideacha ag rith thart i ndiaidh liathróide nó tuilleadh fir amaideacha ag rith thart le gunnaí, ag caitheamh ar a chéile. Cén tseafóid é seo atá ar siúl anois ar aon nós?"

"Sin seanscannán clúiteach darb ainm 'An Dosaen Dainséarach', a dúirt Daidí ag osnaíl. "Scéal atá ann faoi oifigeach Meiriceánach atá i gceannas ar fhoireann saighdiúirí atá ar mhisean speisialta in éadan an namhad. An dtuigeann tú?" Bhí Mamaí míshásta. Bhí sí fós ag rá gur mhaith léise clár teilifíse a phiocadh le breathnú air. Ní raibh Rónán ag éisteacht le ceachtar acu.

Bhí sé ag smaoineamh ar an scannán. Foireann ar mhisean speisialta. Dosaen. Sin dhá dhuine dhéag. Tá dáréag ar fhoireann peile. Duine dhéag agus ionadaí amháin. Dá bhféadfadh sé foireann a chur le chéile bheadh sé in ann a thaispeáint do Chois Cuain cé chomh maith agus a bhí sé. D'éirigh sé ina shuí go tobann agus é ar bís.

"An bhfeiceann tú?" arsa Daidí le Mamaí. "Is breá le Rónán an scannán."

Smaoinigh Rónán ar an argóint a bhí idir Micheál Seoighe agus Fear an Fháisc-chláir. Ní raibh foireann ann le himirt in éadan Chois Cuain ar an Domhnach dár gcionn. Dá bhféadfadh *seisean* foireann a chur le chéile... bheadh siad in ann imirt in éadan Chois Cuain.

Bhreathnaigh sé ar an teilifís arís. Bhí laoch an scannáin ag caint lena leascheannasaí. Cara dílis a bhí ann, a raibh sé in ann brath air.

Go tobann smaoinigh Rónán ar a chara dílis féin, Éanna. Bheadh seisean in ann cabhrú leis lena phlean.

"Tá mé ag dul ar cuairt chuig Éanna," arsa Rónán go tobann ag éirí ina sheasamh de léim.

"Feallaire," a dúirt Daidí faoina fhiacla. Rug Mamaí ar an g**cianrialtán*** agus d'athraigh sí an stáisiún.

D'imigh Rónán leis ar an rothar chuig teach Éanna. D'oscail deartháir Éanna, Jeaic, an doras. "Haigh a Rónáin," a dúirt sé go garbh. Bhí Jeaic sna déaga anois agus bhí a ghuth tar éis briseadh. Bhí a ghuth chomh domhain sin go mbeadh sé go hiontach ag déanamh fógraí do scannán uafáis. "Tá Éanna thuas staighre," a dúirt sé.

Ghlasáil Rónán a rothar agus chuaigh sé suas staighre. Sheas sé ar cheann an staighre, taobh amuigh de sheomra Éanna, ar feadh cúpla soicind. Go tobann tháinig amhras air faoina phlean. Céard a déarfadh sé le Éanna? Bhí a fhios ag Rónán nárbh é féin amháin a bhí ag iarraidh sacar ceart a imirt ar fhoireann cheart. Bhí Éanna agus a chara eile, Maidhc, á iarraidh sin freisin. Bhí siad míshásta nach raibh foireann ag a scoil féin,

---

*   gléas le teilifís a rialú, leis na stáisiúin a athrú agus eile

Baile Liam. B'fhéidir gur mhaith leosan an seans lena gcuid scileanna a thaispeáint do Chois Cuain freisin... B'imreoirí maithe iadsan freisin.

Bhí a fhios ag Rónán gur imreoir maith sacair é – ach an ag cruthú fadhbanna dó féin a bhí sé? An imreodh a chairde níos fearr ná eisean sa chluiche? Bhí a fhios aige go raibh cuid acu ina sárimreoirí, mar bhíodh sé ag imirt go minic leo sa chlós scoile. Seans go mbeadh siad níos fearr ná é féin ar an lá...

Shocraigh sé go gcoinneodh sé a phlean faoi rún. Ní bheadh focal le rá aige faoi gur mhaith leis gaisce a dhéanamh dá chuid scileanna sacair. D'inseodh sé do Éanna nach raibh ann ach cluiche aon uaire. Seans chun cluiche amháin ceart a imirt. Uair amháin. Sin é. Agus dá n-éireodh lena phlean agus dá roghnódh Cois Cuain mar imreoir é, chuirfeadh sé cuma air féin go raibh ionadh an domhain air faoi.

Den dara huair an lá sin tharraing Rónán anáil mhór fhada. D'oscail sé an doras agus isteach leis i seomra Éanna. Bhí **lúcháir*** ar Éanna é a fheiceáil. Mhothaigh Rónán beagán gránna. Ach díreach *beagán* gránna. Ach chloígh sé lena phlean, agus d'inis sé d'Éanna go raibh sé ag iarraidh foireann sacair a chur le chéile.

"Nílim cinnte," arsa Éanna. "Fiú amháin **dá dtiocfadh linn**** foireann a chur le chéile... Níor imir duine ar bith againn cluiche ceart riamh. Níl bróga peile agam fiú. Mharódh siad muid!"

"Ní mharódh," arsa Rónán. "Geallaim go mbeimid go maith." Ní raibh aon rud chun bac a chur ar Rónán. "Thiocfadh leat bróga peile a fháil ar iasacht."

---

*   áthas mór
** dá n-éireodh linn

"Ceart go leor, déanfaidh mé é," a dúirt Éanna faoi dheireadh. "Ach cé a chuirfidh glaoch ar an Micheál Seoighe seo chun cluiche a shocrú? Beidh sé ag iarraidh labhairt le duine fásta.

"Is dócha go bhfuil an ceart agat. Thiocfadh linn ceist a chur ar do Dhaid," arsa Éanna. Nach bhfuil **dúil*** aige sa sacar?

"Ó, níor mhaith liom ceist a chur air," arsa Rónán go tapa. "Ceapaim gur chóir dúinn é seo a dhéanamh gan cúnamh ónár dtuismitheoirí."

Bhí iontas ar Éanna. Ansin chroith sé a ghuaillí.

"Tá aithne agamsa ar dhuine a bhfuil guth dhuine fásta aige," arsa Rónán. "Thiocfadh le Jeaic cur i gcéill gurb eisean ár gcóitseálaí."

---

*   suim mhór, grá

Bhí sé éasca Jeaic a mhealladh chun an **scairt*** a dhéanamh dóibh. Ní raibh uaidh **de chúiteamh**** ach uimhir ghutháin dhuine de na buachaillí a bhí ar scoil leo. Bhí Jeaic sa tóir ar a dheirfiúr.

Chuardaigh Rónán agus Éanna uimhir Mhicheáil Seoighe san eolaí teileafóin. Bhí níos mó ná Micheál Seoighe amháin ann. Faoi dheireadh d'aimsigh siad an duine ceart. Labhair Jeaic leis ar feadh cúpla nóiméad agus shocraigh sé gach uile rud leis.

"Sin sin a bhuachaillí," arsa Jeaic leo. "Beidh an cic tosaigh ann ag leathuair tar éis a deich maidin Dé Domhnaigh."

"Iontach!" a dúirt Rónán go sásta. Bhí sé ar a bhealach...

---

*   glaoch
** mar íocaíocht

Caibidil 3

Seisiún Traenála

Chuir Rónán agus Éanna glaoch ar a gcairde
an mhaidin dár gcionn. Bhí gach duine sásta imirt
agus níorbh fhada go raibh dosaen ainm ar an liosta.
Bhí ainm Rónáin agus ainm Éanna ar a bharr ar
fad. Shocraigh Rónán go mbeadh seisiún traenála
ag teastáil freisin. Bhí sé tábhachtach go mbeadh
scileanna foirne acu. Dá mbuailfeadh Cois Cuain iad ní
bhreathnódh aon duine ar scileanna peile Rónáin. Ní
bheadh deis aige **gaisce*** a dhéanamh díobh.

* imirt go hiontach

18

Shocraigh siad seisiún traenála don Mháirt. Bhí liosta ag Éanna. Chuir sé tic leis na hainmneacha ar an liosta de réir mar a tháinig siad duine ar dhuine – Cian, Ciotóg, Lúc, Máirtín Mór, Breandán, Séimí, Maidhc, Páidí, Dara agus Seáinín. Bhí na buachaillí ar bís agus sheas siad thart ag comhrá. Thosaigh siad ag argóint faoi **na hionaid imeartha***.

Níor rith seo le Rónán roimhe sin. Bhí sé féin ag iarraidh imirt mar thosaí, an t-ionad is fearr dár leis. Bhí a fhios aige go gcaithfeadh sé bheith cúramach nó go dtiocfadh leis bheith ag imirt in ionad ar bith.

"Ciúnas!" a bhéic sé. Bhí ciúnas iomlán ann agus gach duine ag stánadh air. "Is mise a shocraigh an cluiche seo. Tá *mise* i gceannas agus socróidh *mise* na hionaid imeartha daoibh."

Bhí go leor **clamhsáin**** ann, ach ansin bhí ciúnas arís ann. "Ceart go leor," arsa Rónán, "Lúc, tá tusa sa chúl..."

---

* na háiteacha ar an bpáirc a mbeidís ag imirt iontu
** gearáin, daoine ag tabhairt amach

Níor thóg sé i bhfad ar Rónán an fhoireann a chur le chéile. Bhí a fhios aige an bua speisialta a bhí ag gach duine dá chairde. Bhí a fhios aige cé acu a bhí go maith ag ciceáil, cé acu a bhí go maith ag tabhairt buille cinn don liathróid, agus cé acu a bhí go maith ag taicleáil. Ar ndóigh, thug sé a rogha ionaid dó féin.

Bhí cluiche traenála pleanáilte ag Rónán agus shocraigh sé go mbeadh seisear cosantóirí in aghaidh seisear ionsaitheoirí. D'imir siad ar feadh tamaill, ach ina dhiaidh sin ní raibh siad ach ag útamáil seachas a bheith ag imirt go dáiríre. Níor chuir sin isteach ar Rónán, ach bhí Éanna míshásta.

"Caithfidh tú bheith níos déine orainn amárach a Rónáin," arsa Éanna nuair a bhí siad ag déanamh a mbealach abhaile tar éis an chluiche. "Bhí an cluiche sin ceart go leor is dócha, ach ní dhearnamar dul chun cinn mar fhoireann, an ndearna? Caithfimid a bheith níos fearr amárach."

"Amárach?" arsa Rónán. Ní raibh seisiún traenála eile pleanáilte aige.

"Thiocfadh linn dul chuig an leabharlann agus físeán cóitseála a fháil amach. Bheadh sin ina chuidiú," arsa Éanna. "Agus cúpla leabhar freisin."

"Ní raibh seisiún traenála eile pleanáilte agam," arsa Rónán.

"Céard?" arsa Éanna. "An bhfuil tú dáiríre?"

"Och... Ní raibh mé ach ag magadh," arsa Rónán ag déanamh miongháire.

Shocraigh Rónán cúpla seisiún traenála eile. Bhí seisiún acu ar an gCéadaoin, ceann Déardaoin agus ceann eile ar an Aoine. A bhuíochas le hÉanna, leis na leabhair agus leis na físeáin ón leabharlann, bhí siad ar an eolas maidir leis na rudaí a bhí le cleachtadh acu. Bhí an seisiún deireanach acu maidin Dé Sathairn.

Nuair a bhí sé sin thart, dúirt siad go mbuailfidís le chéile an lá dár gcionn. Ansin chuaigh siad abhaile.

D'imigh Rónán agus Éanna in éineacht a chéile ar na rothair a fhad le teach Rónáin.

"Nach ait an saol é?" arsa Éanna. "Murach gur cuireadh inár suí le chéile muid nuair a thosaíomar ar an scoil, seans nach mbeimis inár gcairde ar chor ar bith inniu."

"Seans nach mbeadh," arsa Rónán. Ní raibh a fhios aige cén fáth a raibh Éanna ag caint faoin scoil.

"Agus murach gur cairde muid is dócha nach dtabharfá cuireadh dom a bheith páirteach sa chluiche seo. B'fhéidir go mbeidh an lá is fearr de mo shaol agam amárach. Mar sin a Rónáin, ba mhaith liom buíochas a ghabháil leat. Tá mé buíoch díot. Is tú an cara is fearr **a thiocfadh*** a bheith agam.

---

*   a d'fhéadfadh

"Ná bí ag caint mar sin," arsa Rónán. "Le do thoil, ná bí ag caint mar sin."

D'fhéach Éanna air le hiontas agus é ag imeacht leis abhaile.

Caibidil 4
Feallaire

D'éirigh Rónán an mhaidin dár gcionn, d'ith sé a bhricfeasta go tapa agus amach an doras leis. Bhí a fheisteas i mála plaisteach agus é ag rothaíocht sa **cheobhrán*** i dtreo na páirce. Bhí an mála crochta ar na hanlaí agus é ag cuimilt ar a chuid glún.

Ní raibh Rónán ag fanacht i bhfad sular tháinig na buachaillí eile. Ansin tháinig Fear an Fháisc-chláir.

*   báisteach éadrom

"Glacaim leis gur sibhse **céilí comhraic*** Chois Cuain," ar sé. D'fhéach sé ar na buachaillí agus d'aithin sé Rónán. "Nach bhfuil aithne agamsa ortsa?" a dúirt sé. Chroith sé a ghuaillí. "Cén dochar. Cá bhfuil bhur gcóitseálaí?"

"Tá faitíos orm nach raibh sé ábalta teacht inniu," arsa Rónán. *Go háirithe mar nach bhfuil a leithéid de dhuine ann,* a dúirt sé leis féin. "Beimid togha gan é."

"Feicim," arsa Fear an Fháisc-chláir. "Tá seo an-aisteach. Ar dtús chuir bhur gcóitseálaí glaoch ar chumann Chois Cuain, in áit glaoch a chur ormsa mar ba chóir dó a dhéanamh, agus anois níl sé fiú amháin anseo! Abair liom, cén t-ainm atá ar bhur bhfoireann?"

"Níor thug a gcóitseálaí ainm dom," a dúirt guth glórach taobh thiar díobh. Micheál Seoighe a bhí ann. "Leis an fhírinne a rá, is cuma sa diabhal liom cén t-ainm atá orthu, a fhad is go bhfuil siad gléasta agus réidh le himirt ag leath uair tar éis a deich. Anois, gluaisigí oraibh!"

---

*   céilí comhraic – an fhoireann a mbeidh Cois Cuain ag imirt ina gcoinne

"Níl aon ghá a bheith **tútach***," a dúirt Fear an Fháisc-chláir faoina fhiacla. "Tagaigí an bealach seo a bhuachaillí," ar sé ag déanamh ar theach seide ina raibh an seomra feistis. Seomra mór a bhí ann le binsí thart ar na ballaí agus pionnaí cóta os a gcionn. Bhí sceitimíní ar na buachaillí. Agus iad ag déanamh réidh, bhí siad ag magadh faoi Mhicheál Seoighe. Nuair a bhí siad réidh lean siad Rónán amach ar an bpáirc.

Ní raibh sé ag cur fearthainne níos mó, ach bhí an pháirc imeartha sách brocach. Agus bhí cuma an-mhór uirthi mar pháirc. Bhí sé aisteach na rudaí céanna a fheiceáil arís – na tuismitheoirí ar an taobhlíne, na deirfiúracha agus na deartháireacha óga... Bhí brí eile leis anois.

Agus bhí foireann Chois Cuain ann freisin ina feisteas dubh agus glas. Bhí siad ag scigmhagadh go hoscailte faoi Rónán agus a fhoireann. Bhreathnaigh Rónán ar an bhfeisteas gioblach a bhí ag a fhoireann féin. Ní raibh péire acu mar an gcéanna, ach léinte ar

---

*   mímhúinte, drochbhéasach

27

dhathanna éagsúla orthu. Bhí seanbhróga orthu agus fiú stocaí nach raibh ag meaitseáil. Bhí náire ar Rónán. Bhí cuma ghioblach orthu i gcomparáid le foireann Chois Cuain.

"Tá na captaein ag teastáil anseo anois," arsa duine éigin go glórach.

Fear an Fháisc-chláir a bhí ann agus feisteas ceart réiteora air. Amach le Rónán **de shodar*** sa lárchiorcal. Amach le Cillian Seoighe freisin.

Stán Cillian ar Rónán agus rinne sé **scig-gháire****. "Céard é seo?" ar sé. "Ní raibh mé ag súil le *thusa* a fheiceáil ar ais arís chomh luath sin. Tá tú ar bís le do chuid scileanna a thaispeáint dom, nach bhfuil? B'fhéidir gur *chóir* dom seans a thabhairt duit. Ach fanfaidh mé go bhfeicim ag imirt thú."

* ag rith go réidh
** gáire atá míbhéasach

"Céard faoi a bhfuil sé ag caint?" arsa Éanna.

Chas Rónán timpeall agus bhí Éanna ar a chúl agus é an-chrosta. Thosaigh Rónán ag rá rud éigin, ach ag an am céanna d'fhógair Fear an Fháisc-chláir caitheamh na pingine. Chaill Rónán an caitheamh agus roghnaigh Cillian an chéad chic do Chois Cuain. Leag Fear an Fháisc-chláir an liathróid agus thóg na himreoirí a n-ionaid don chéad chic.

"Éist a Éanna ..." arsa Rónán agus é ag déanamh ar lár na páirce.

"Éist do bhéal," arsa Éanna go borb. "Bhí a fhios agam go raibh rud éigin aisteach ar siúl anseo. Ní raibh tú ag iarraidh an iomarca traenála a dhéanamh ... ní raibh tú ag iarraidh go mbeadh a fhios ag ár dtuismitheoirí faoi ... shocraigh tú an cluiche seo chun fáil isteach ar fhoireann Chois Cuain! Há! Is cara iontach thusa, caithfidh mé a rá!"

Shéid an réiteoir an fheadóg díreach nuair a bhí Éanna críochnaithe ag caint. Thosaigh an cluiche. *Is maith an rud é go bhfuilimid ag imirt,* a dúirt Rónán leis féin. Ní raibh a fhios aige céard a déarfadh sé. Bhí an fhírinne feicthe ag Éanna. Tháinig **masmas*** ar Rónán. Chonaic sé Páidí agus Maidhc agus Séimí freisin, agus cuma an-fheargach orthu.

Bhuail duine éigin ina éadan agus thit sé.

"Ó, tá brón orm!" arsa Cillian. "Tá súil agam nár dhúisigh mé thú ..."

Ní dhéanfadh Rónán dearmad ar an gcéad leath sin go deo. Ba é sin an chéad uair riamh a d'imir sé sacar ceart ar pháirc cheart imeartha. Bhí sé uafásach. Bhí Cois Cuain ag imirt go maith. Is de mhí-ádh amháin nach bhfuair siad cúl go luath sa chluiche. Cuireadh pas chuig Cillian ó thaobh an bhosca pionóis, ach chuir sé an liathróid ar seachrán. Dá mba rud é gur chiceáil sé go maith é, ní bheadh seans ag cúl báire Rónáin.

---

* mothú tinn a bheith i do ghoile

Níor thug Chois Cuain seans ar bith d'fhoireann Rónáin. Bhí suas le deich n-iarracht scórála a chuaigh amú orthu agus bhí iontas an domhain ar Rónán nár éirigh leo scór ar bith a fháil. Chaith sé féin agus a fhoireann an t-am go léir ag rásaíocht i ndiaidh imreoirí Chois Cuain, ag iarraidh seilbh a fháil ar an liathróid, ach níor éirigh leo. *Tá sé seo seafóideach,* arsa Rónán leis féin faoi dheireadh, agus stop sé ag rith.

D'fhéach sé ar a fhoireann. Bhí siad in ainm agus a bheith ag imirt mar 4-4-2. Bhí Maidhc, Cian, Máirtín Mór, agus Breandán in ainm a bheith ar chúl. Bhí Páidí, Ciotóg, Éanna agus Rónán in ainm a bheith sa lár, agus bhí Seáinín agus Séimí le bheith chun tosaigh. Bhí Dara ina ionadaí. Ach le fírinne, bhí siad i ngach áit. Ní raibh cruth ar bith orthu. Bhí siad sa mhullach ar a chéile. *A leithéid de phraiseach,* a dúirt Rónán leis féin.

Ní raibh aon mhaith déanta aige go dtí seo. Níor éirigh leis agus é ag taicleáil agus leagadh go minic é. Níor éirigh leis pas maith a dhéanamh, ná buille maith féin a ghlacadh ar an liathróid. Is ar éigean a leag sé cos i leath na páirce Chois Cuain. Bhí straois ar Cillian gach aon uair a chonaic sé é. Bhí fadhb eile ann freisin. Bhí an chuma air go raibh fhios ag an bhfoireann go léir faoin méid a dúirt Éanna. Fiú amháin Dara, a bhí ina ionadaí. Bhí seisean ar an taobhlíne agus é ag amharc ar Rónán go feargach.

Ansin tharla sé! Agus Rónán ag faire, thosaigh Cois Cuain ag ionsaí ar an taobh dheis. Thosaigh Rónán ag rith agus bhuail duine d'fhoireann Chois Cuain sall. Bhuail duine acu an liathróid lena chloigeann, tháinig an liathróid anuas i dtreo an chúil, agus ba é sin é – bhí cúl faighte acu! Chaith Cillian a lámha san aer agus bhéic sé.

"Maith thú a Cilliain!" a bhéic Micheál Seoighe.
"**Sárchúl**!*"

Nach bhfuil sé sin aisteach, arsa Rónán leis féin. Bhí
sé cinnte nárbh é Cillian a chuir an liathróid isteach.
Ach bhí gach aon duine d'fhoireann Chois Cuain á
mholadh. Go tobann thuig Rónán cén fáth. *Bhí orthu
é a mholadh*. Bí cinnte gur thosaigh Micheál Seoighe
an fhoireann díreach ar son a mhic féin, Cillian, a dúirt
Rónán leis féin. Agus chun áit a fháil ar an bhfoireann,
bhí ort cur i gcéill gurbh é Cillian an t-imreoir ab fhearr.

Thosaigh an cluiche arís, agus chaill Séimí an
liathróid. Ach bhí Rónán fós ag smaoineamh ar rudaí
eile. Cheap Cillian gur imreoir maith a bhí ann, agus
mar sin chuir Micheál Seoighe an fhoireann le chéile
le go mbeadh Cillian in ann a chuid scileanna a
thaispeáint. Bhí Cillian de shíor ag béiceadh ar son na
liathróide, agus ag cleasaíocht léi, agus ag déanamh
gaisce os comhair an tslua ag an taobhlíne.

*   cúl fíormhaith

Ach, a shíl Rónán, *nach raibh sé féin díreach chomh holc céanna?* Bhí foireann curtha le chéile aige féin chun a chuid scileanna a thaispeáint. Ní thiocfadh leis a bheith anuas ar Cillian as an rud céanna a dhéanamh! Ní raibh **de thairbhe*** ar an rud go léir ach go raibh a chara is fearr feargach leis, agus a chairde eile chomh maith. Smaoinigh sé ar an bhfocal sin a d'úsáid Daid – *feallaire*... Faoi dheireadh ní raibh dada bainte amach aige. Chonaic Rónán Cillian ag glacadh na liathróide ó dhuine dá fhoireann féin. D'aithin sé nach mbeadh imreoirí maithe go deo ar an bhfoireann seo Cois Cuain. Ní bheadh inti ach daoine a bhí in ann orduithe a ghlacadh ó Chillian agus ó Mhicheál Seoighe.

Cur amú ama iomlán a bhí sa chluiche seo, a dúirt Rónán leis féin. Agus níos measa fós, bhí amadán déanta aige dó féin!

Cúpla nóiméad ina dhiaidh sin shéid Fear an Fháisc-chláir an fheadóg. Bhí an chéad leath thart. Tháinig cairde Rónáin le chéile i lár páirce agus sheas siad lena ndroim le Rónán.

* mar thoradh

Chuaigh foireann Chois Cuain chuig an taobh eile den pháirc imeartha.

"Bhí tú sách dona," arsa Cillian agus é ag dul thar Rónán lena chuid cairde. "Ach bhí a fhios agam go mbeadh. **Cén dóigh*** a mbeadh aon mhaith in aon duine ó scoil mar Baile Liam?"

Chuala Rónán scigmhagadh agus d'éirigh sé an-fheargach go tobann. Cén nóisean a bhí ag Cillian Seoighe de féin go labhródh sé mar sin? Céard a bhí chomh speisialta sin faoi? Athair a bhí chomh saibhir sin go dtiocfadh leis foireann peile a *cheannach* dó an ea?

---

*   cén chaoi, conas

Caibidil 5

Maithiúnas

*Tá sé thar am ceacht **a theagasc*** do Cillian Seoighe,* arsa Rónán leis féin. D'iompaigh sé agus shiúil sé leis i dtreo a chairde.

"An bhfuil tú ceart go leor a mhac?" arsa Fear an Fháisc-chláir.

"Tá mé go *breá*," arsa Rónán go borb.

---

*   a mhúineadh

39

"Beidh an dara leath ag tosú i gceann cúig nóiméad," arsa Fear an Fháisc-chláir.

Níor thug Rónán freagra air. Choinnigh sé air ag siúl agus níor stop sé gur shroich sé a chairde. Bhí siad ina seasamh i ngrúpa agus Éanna ina lár agus iad uile – deichniúr acu – ag breathnú ar Rónán le fearg. Níor labhair duine ar bith focal leis.

"Tá a fhios agam cad faoi a bhfuil sibh ag smaoineamh," arsa Rónán.

"Tá an ceart ar fad agaibh a bheith ar buile liom. Admhaím gur phleanáil mé an rud seo ar fad chun áit a fháil ar fhoireann Chois Cuain. Tá fíorbhrón orm. Is sibhse mo chairde. Tuigim anois gur fearr liom a bheith ag imirt libhse seachas leis na hamadáin sin. An dtuigeann sibh? Fiú mura bhfuil ann dúinn go deo ach an dara leath den chluiche seo. Amach linn mar sin chun taispeáint dóibh cé chomh maith is atá Baile Liam."

D'imigh Rónán leis gan seans a thabhairt d'aon duine tosú ag argóint leis.

Amach chuig an mbosca pionóis leis. Rith sé i
dtreo an chúil chosanta agus d'fhan sé ina aonar sa
bhosca pionóis ag féachaint ar a chairde agus ar Fhear
an Fháisc-chláir a bhí ag breathnú ar ais air. Faoi
dheireadh d'fhógair Fear an Fháisc-chláir go raibh an
dara leath le tosú.

Cheap Rónán ar feadh nóiméid nach raibh a chairde
chun imirt. Bhí siad ina seasamh le chéile **go dlúth*** i
ngrúpa beag. Sa deireadh bhris siad amach ón ngrúpa
agus shiúil siad go mall chuig a gcuid ionad. Tháinig
Dara ar an bpáirc in áit Bhreandáin, mar a bhí beartaithe
acu. Bhí Cois Cuain ullamh freisin. Shéid Fear an Fháisc-
chláir an fheadóg agus bhuail Séimí an liathróid chuig
Seáinín. Tháinig imreoir de chuid Chois Cuain isteach
le haghaidh taicil agus cuireadh an liathróid i dtreo
Chilliain a bhí ag fanacht uirthi agus straois air.

Ní bheidh an dara leath mar a bhí an chéad leath,
arsa Rónán leis féin.

Rith sé chuig an liathróid chun taicil a dhéanamh.

*   an-ghar dá chéile

Sciob sé an liathróid ó Chillian agus rith sé léi. Thit Cillian agus scread sé "Feall, a réiteoir!"

"Lean oraibh!" a bhéic an réiteoir.

Bhí Rónán ar imeall bhosca pionóis Chois Cuain. Bhí lárimreoirí Chois Cuain ag teannadh leis agus cuma neirbhíseach ar na cosantóirí. Rinne Rónán damhsa beag thart ar dhuine acu agus chiceáil sé an liathróid chuig Seáinín. Bhuail Seáinín cic uirthi i dtreo an chúil. Thit an cúl báire ar an liathróid lena sábháil.

"Coinnigh an leagan amach nuair a thagann siad chun tosaigh a bhuachaillí!" a bhéic Rónán. Scaoil an cúl báire an liathróid amach. Ní raibh Cillian ag gáire níos mó. Go maith, arsa Rónán leis féin. "Coinnigh an leagan amach," a bhéic sé arís.

Dúirt sé arís agus arís é, agus d'éist siad. Choinnigh siad an leagan amach. Bhí fuinneamh iontach ag Rónán mar gheall ar an bhfearg a bhí air. Bhí sé ag stróiceadh leis thart ar an bpáirc imeartha. Bhí sé ag taicleáil agus ag leanúint na liathróide an t-am ar fad. Bhéic sé lena chairde coinneáil orthu.

Ba léir go raibh siad ag éisteacht leis. Thosaigh siad ag imirt mar fhoireann. D'imir siad go maith nuair a bhí an liathróid ina seilbh.

Bhí iontas an domhain ar Chois Cuain. D'aithin Rónán cé chomh **héifeachtach*** agus a bhí na seisiúin traenála, na leabhair agus na físeáin. *Caithfimid cúl a fháil,* ar sé leis féin.

Agus fuair!

Fuair Máirtín Mór an liathróid agus rinne sé pas chuig Maidhc. D'imigh Maidhc síos an taobh chlé léi, i dtreo an chúinne. Chas sé go géar, rith sé thar chosantóir amháin agus chuir sé an liathróid de chic íseal crua isteach sa bhosca. Bhí Rónán ansin ag fanacht ar an trasnú.

Isteach leis an liathróid! 1-1.

*   úsáideach

Níor stop Rónán le ceiliúradh a dhéanamh.
Amach leis arís don atosú ach is beag nár leag a
chairde é. Bhí siad ag léim air agus ag béiceadh
"cúl, cúl." Bhí siad go léir ann ach amháin Éanna.

Fuair siad cúl eile tar éis tamaill ghearr. Bhí
Micheál Seoighe ag béiceadh an oiread sin le Cois
Cuain go ndearna siad dearmad glan conas sacar
a imirt.

Leag Cillian Séimí ar imeall an bhosca. Thug an
réiteoir cic saor dóibh. Chiceáil Páidí an liathróid
isteach sa bhalla cosanta. Tháinig sí ar ais chuig
Rónán. **Lasc*** Rónán san eangach í. 2-1.

Ach ní raibh an cluiche thart. Bhí tuilleadh le
teacht fós!

Chuir Cian liathróid fhada chuig Páidí, a rinne pas
chuig Rónán. D'fhéach Rónán timpeall agus chonaic
sé go raibh Cillian ag teannadh air.

*   chiceáil

D'fhan Rónán cúpla soicind. Ansin chiceáil sé an liathróid trí na cosa ar Chillian, agus ar aghaidh leis i dtreo an chúil. Tháinig Éanna de rith isteach ó lár na páirce. Rinne Rónán **bobphas***, agus ansin ceann eile. Ní raibh le sárú aige anois ach an cúl báire. Dá bhféadfadh sé **tréchleas**** a fháil... Nach mbeadh sé *sin* go hiontach!

Bhí muinín ag Rónán as féin. Ach bhí sé ag iarraidh seans a thabhairt d'Éanna. Mar sin, rinne sé pas chuig Éanna, díreach os comhair an chúil agus chuir Éanna an liathróid isteach san eangach. 3-1. Bhí cúl eile faighte ag Éanna.

An uair seo ba é Éanna an chéad duine a léim ar Rónán.

"Glacaim leis go bhfuil tú mór liom arís," arsa Rónán go sona sásta.

---

* dallamullóg a chur ar imreoir eile trí chur i gcéill go bhfuil tú chun pas a dhéanamh
** trí chúl i ndiaidh a chéile, go h-áirithe nuair is é an t-imreoir céanna a fhaigheann iad

"Cén fáth nach mbeinn?" arsa Éanna ag gáire.
Chuir Rónán straois gháire air féin freisin.

Ag an nóiméad sin shéid Fear an Fháisc-chláir
an fheadóg trí huaire. Bhí an cluiche thart. Lig cairde
Rónán béic astu. Lig Rónán agus Éanna béic astu siúd
freisin agus thug siad barróg dá chéile.

D'imigh Cillian agus a chairde leo in ísle brí. Bhí
éadan Mhichil Seoighe níos deirge ná mar ba ghnáth.

"An dtiocfadh liom labhairt libh?" arsa Fear an
Fháisc-chláir agus é ag **bogshodar*** i dtreo Rónán
agus a chairde. "Bhí sibh thar cionn sa dara leath sin.
Ba bhreá linn foireann mar sibh sa tsraith. An mbeadh
sibh sásta imirt inti?"

"Bhuel, tá, bhuel..." arsa Rónán trína fhiacla.

*   ag rith go mall réidh

"Breathnaigh. Is furasta a fheiceáil nach bhfuil cóitseálaí agaibh. Is cuma liom faoi sin," arsa Fear an Fháisc-chláir. "Gheobhaidh mise ceann daoibh, agus urraitheoir chomh maith. Tá an nuachtán áitiúil ag lorg foirne. Beidh feisteas ceart agaibh agus gach rud. Ní bheidh oraibh ach cúpla cluiche mar sin a imirt in éadan Chois Cuain in aghaidh an tséasúir. Bainfidh sibh tairbhe as. Agus beidh Micheál Seoighe sásta freisin. Cad a cheapann sibh?"

"Ceart go leor", arsa Rónán. Bhí Éanna ag croitheadh a chinn ag aontú leis.

"Go hiontach," arsa Fear an Fháisc-chláir. "Seo mo chárta gnó. Abair le do chuid tuismitheoirí glaoch a chuir orm ionas gur féidir linn tosú. Sea, agus beidh ainm foirne de dhíth oraibh don sraithchomórtas. An bhfuil ainm oraibh?"

Smaoinigh Rónán ar feadh cúpla nóiméad. Baile Liam Aontaithe? Cumann Sacair Chairde Rónáin? Bhí blas aisteach orthu sin ina bhéal. Bhreathnaigh sé ar a

chairde. Bhí siad ag pocléim thart agus a gcuid feisteas brocach, lán de **chlábar***.

Díreach ansin, ar chúis éigin nár thuig sé, smaoinigh Rónán ar an seanscannán a thaitin lena Dhaid. "Is féidir leat 'An Dosaen Dainséarach' a ghlaoch orainn," ar sé ag gáire.

An Dosaen Dainséarach abú!

---

* puiteach, salachar

Má thaitin an scéal seo leat,
bain triail as na cinn eile seo atá foilsithe
ag Futa Fata agus a bhfuil cur síos orthu
ar na leathanaigh a leanas.

Is é Peadar an buachaill is ciúine sa rang.
Bíonn scéalta móra á n-insint an t-am ar fad ag a
chairde. Tarlaíonn eachtraí suimiúla dóibh. Ach ní
tharlaíonn rud ar bith do Pheadar riamh. Tá saol
leadránach aige, tá teach leadránach aige, tá a chat
leadránach fiú!

Ceapann Peadar gurb eisean an buachaill is leadránaí
riamh.

Ach níl an ceart aige....

Turas scoile go croílár na Boirne. Seachtain lán le
spraoi agus comhluadar in Ionad Eachtraíochta. Ach
tá Aoife buartha faoi dhúshlán mór atá roimpi. Ní
mór di dul i ngleic leis an bhfaitíos is mó atá uirthi,
ní mór di dul faoi thalamh sa dorchadas. An mbeidh
sí in ann chuige?

Agus céard faoi Dhara? An buachaill is suimiúla sa
rang. An dtabharfaidh sé aon aird uirthi?

An éireoidh le hAoife a misneach a choinneáil nuair a
théann sí ar strae i bPluais na gCloigeann?

Dia dhaoibh!

Agus fáilte chuig an scéal faoi Chiarán Ó Mianáin.

Cé sa diabhal é Ciarán Ó Mianáin, a deir tú?

Bhuel, níl ann ach gnáthbhuachaill deich mbliana d'aois.

Ach...

Is féidir le Ciarán Ó Mianáin cuileog a dhéanamh de féin.

Samhlaigh é sin!

Níl ann ach, bhuel, níor éirigh leis é a dhéanamh go fóill.

Ach ó tharla go bhfuil gadaithe agus mangónna ar a thóir - b'fhearr dó é a dhéanamh gan mhoill! An éireoidh leis?

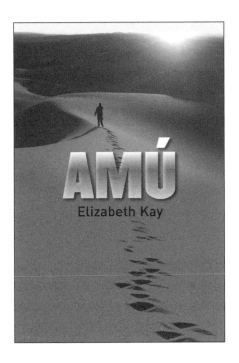

Ceapann máthair agus athair Oisín gur buachaill,
drochbhéasach, dána é.

Le súil agus feabhas a chur ar a iompar, seolann siad
chuig campa ceartúcháin é.

I nGaineamhlach Ghóibí. Sa Mhongóil.

Ní mó ná sásta atá Oisín faoi seo.

Mar sin, déanann sé cinneadh éalú as an áit.

Ach is crua an saol atá amuigh sa ghaineamhlach.

An mbeidh cailín óg aon bhliain déag d'aois in ann é
a shábháil?

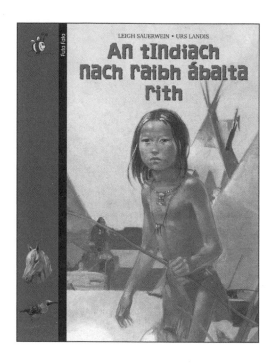

LEIGH SAUERWEIN • URS LANDIS

An tIndiach nach raibh ábalta rith

Is Indiach óg é Húcalla. Níl sé cosúil leis na páistí eile i dtreibh Dakota. Bíonn siadsan ag rith, ag damhsa agus ag seilg. Ach tá Húcalla bacach. Bíonn a chroí briste nuair a thosaíonn na páistí eile ag magadh faoina chos cam. Imíonn sé leis amach ar an machaire, ar cuairt ar na cairde is ansa leis: na hainmhithe. Is ó na hainmhithe a fhaigheann Húcalla amach go bhfuil bua speisialta aige – bua nach bhfuil ag duine ar bith eile sa treibh...

Idir an scoil agus **eile**, **tá** Vicí coinnithe ag imeacht.
Agus tá **feabhas ar** an saol sa bhaile ó chas a
máthair ar fhear nua an-deas, Gearóid. Bheadh
gach rud ina cheart murach buachaill ar scoil,
Oisín, a bhíonn de shíor ag iarraidh rudaí a thógáil
'ar iasacht'. Cuireann Oisín eagla ar Vicí ach ní
maith léi rud ar bith a rá faoi le **haon duine**.
Agus dá mhéid ama a fhanann sí ina tost is ea
is mó an bhuairt atá ag teacht uirthi...